HIRO MASHIMA

FAIRY TAIL 50
SOMMAIRE

CHAPITRE 421 : WENDY ET CHERRYA

Lamia Scale
LA GUILDE DE MAGICIENS LAMIA SCALE.

PSHOU
JE NE FERAI PLUS JAMAIS ÇA ! J'AI TROP HONTE !
TU ÉTAIS ADORABLE !
ON SENT QUE TOUT LE MONDE T'AIME, WENDY !

CHASSEUR D'AMOUR ! CHASSEUR D'AMOUR ! FOREVER !
FOREVER...
ÇA VEUT DIRE QUOI, "CHASSEUR D'AMOUR" ?!
T'ÉNERVE PAS !

TU AS DE LA VISITE, WENDY !
HEIN ?
...

SALUT !
ÇA FAISAIT LONGTEMPS !
TU VAS BIEN, WENDY ?!

NATSU ?!
LUCY ! ET HAPPY !

TU AS UN PEU GRANDI ?
TAP TAP
NON... PAS DU TOUT...
VRAIMENT ?

ALORS, JE TE RAMÈNE À LA MAISON !
AAAH !
HÉ !

VOUS VOULEZ RELANCER FAIRY TAIL ?
RÉUNIR TOUT LE MONDE À NOUVEAU ?

OUI... LE MAÎTRE A DISPARU DEPUIS UN AN...
ET JE CROIS QUE C'EST LIÉ AU MYSTÈRE DE LA DISSOLUTION...
IL PARAÎT QUE LE CAS DE MAKAROF EST AUSSI UN PROBLÈME AU CONSEIL...
LE CONSEIL ?!
J'AIME PAS CE MOT...
JE CROYAIS QUE ÇA N'EXISTAIT PLUS ?
C'EST VRAI QUE VOUS ÉTIEZ DANS LA MONTAGNE TOUT CE TEMPS, VOUS N'ÊTES PAS AU COURANT...
LES GUILDES DE MAGICIENS NE PEUVENT PAS EXISTER SANS LE CONSEIL...

ALORS, IL Y A UN AN, LES DIX MAGES SACRÉS SE SONT RÉUNIS POUR RECRÉER LE CONSEIL.
JERA A DÛ Y ALLER, LUI AUSSI !
T'ÉNERVE PAS !
DÉSOLÉ...
LES DIX MAGES SACRÉS SONT LES CONSEILLERS ? ILS DOIVENT ÊTRE FORTS !
ALORS, LE MAÎTRE AUSSI...

IL AURAIT DÛ Y ALLER, MAIS IL A DISPARU AVANT...
IL AURAIT PAS FOUTU LE CAMP ?
ÇA A L'AIR GONFLANT COMME TRUC !
POUR L'INSTANT, ON OUBLIE LE VIEUX !
TU VIENS AVEC NOUS, WENDY ?

EUH... EH BIEN...
...

!
JE SUIS UNE MAGICIENNE DE LAMIA SCALE...
JE NE PEUX PAS VENIR AVEC VOUS...

WENDY !
POURQUOI ?!
JE SUIS DÉSOLÉE !

NE T'EN FAIS PAS POUR NOUS...
NOUS SAVIONS QUE CE MOMENT VIENDRAIT...
NOUS NE SOMMES ABSOLUMENT PAS TRISTES !
PLEURE PAS !

QU'EST-CE QUE ÇA VEUT DIRE, WENDY ?!
TAP
JE...
C'EST LE CHOIX QU'ELLE A FAIT !
!

VOUS POURRIEZ ÉVITER DE LUI EN IMPOSER UN AUTRE ?

POURQUOI T'ES HUMAINE ?!
ELLE EST HUMAINE ? POURQUOI ?
POURQUOI ELLE EST HUMAINE ?

CARLA...

SOUS CETTE FORME, MA MAGIE EST PLUS PUISSANTE ET MES PRÉDICTIONS S'AMÉLIORENT...

AH ? ÇA ?
C'EST UN SORT DE TRANS-FORMATION !
JE L'AI APPRIS...

QU'EST-CE QUE TU EN PENSES, HAPPY ?
MOI AUSSI, JE ME SUIS ENTRAÎNÉ...
JE ME SUIS ENTRAÎNÉ UN PEU...
...
J'ARRIVE UN PEU À ME PASSER DE POISSON...
GROUIIIIIL
QUEL GENRE D'ENTRAÎNEMENT TU AS FAIT ?

POUF
C'EST VRAIMENT CE QUE TU VEUX, WENDY ?
ELLE EST REDEVENUE COMME AVANT ! ELLE EST ADORABLE !
HUM

SÉRIEUX ?
ALLONS BON...

L'AUBERGE VIPER.

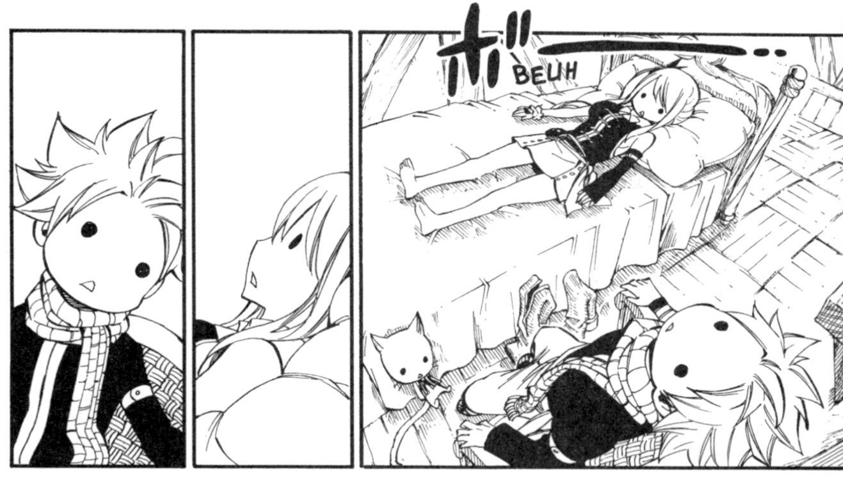
BEUH

BEUH
FOUTCH

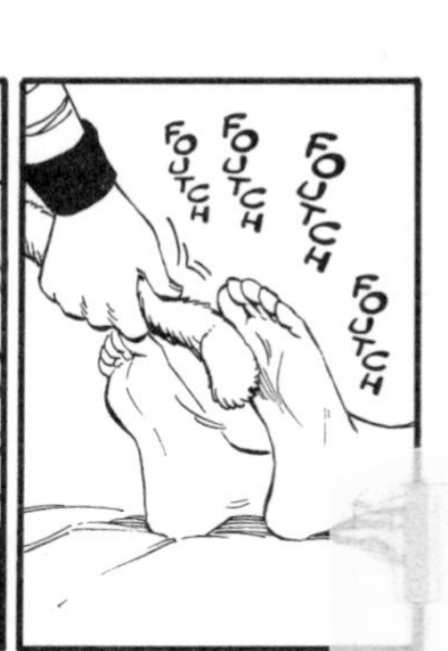
FOUTCH
FOUTCH
FOUTCH
FOUTCH

FOUTCH
FOUTCH
FOUTCH

FOUTCH
FOUTCH
FOUTCH

HAHAHAHAHAHA
ÇA CHA-TOUILLE !

À QUOI VOUS JOUEZ, BANDE DE PERVERS ?!
...

BEN OUI, MAIS J'EN REVIENS TELLEMENT PAS QUE...
OUAIS...

JE ME DEMANDE SI LES AUTRES DIRONT LA MÊME CHOSE QUE WENDY...

JE VAIS PAS LAISSER TOMBER ! ON VA LA KIDNAPPER !
SÛREMENT PAS !

CHEZ CHERRYA ET WENDY.

WENDY, À PROPOS DE TOUT À L'HEURE...
OUI ?

JE VAIS ALLER NULLE PART !

CHERRY EST PARTIE APRÈS SON MARIAGE...
SI JE M'EN VAIS AUSSI, TU SERAS TOUTE SEULE...
JE NE SUIS PAS TOUTE SEULE...

HEIN ?
J'AI TOUS LES MEMBRES DE LAMIA SCALE AVEC MOI...
CE SONT MES COMPAGNONS ET ILS M'AIMENT.

RESTER À MES CÔTÉS PAR PITIÉ...
CE N'EST PAS DE L'AMITIÉ...

ZZZ
ZZZ

BAOOOOOM
!
HEIN ? C'EST QUOI, CE BRUIT ?
ÇA VIENT DE LA GUILDE !
BOOOOM
BOOOM
MIA SCALE
ÉVACUEZ LES CIVILS !
AAAAH
AAAAH
OK !
PAR ICI !

C'EST QUOI, CE BOUCAN ?!
TAP TAP TAP TAP
NATSU !
BRAOOOOOOM
!
HEIN ?!

CLIIIING

COMME TU LE VOIS, UN GROUPE DE MONSTRES A SUBITEMENT ATTAQUÉ LA VILLE !
GLOOOONG
DES MONSTRES ?!
MAIS POURQUOI ?
ÇA FAIT DES ANNÉES QU'ON EST EN CONFLIT AVEC LA GUILDE DE MAGICIENS OROCHI'S FIN...
TAP TAP
TAP
TAP
CE SONT DES RIVAUX ?

MAIS DE LÀ À NOUS ATTAQUER AVEC DES MONSTRES, ILS SONT TOMBÉS BIEN BAS !
ILS ONT SÛREMENT ATTENDU LE DÉPART DE JERA !
AVEC THANKSGIVING, ON A RELÂCHÉ NOTRE VIGILANCE, ET ILS ONT SAISI CETTE OCCASION !
SALETÉS...

LEON ! C'EST QUE LA PREMIÈRE VAGUE !
UNE ARMÉE TOUT ENTIÈRE ARRIVE DE L'OUEST !
ILS SONT AU MOINS CENT MILLE !
CENT MILLE ?!

ヴヴヴヴヴヴヴヴ
WOOOOOOOO OOOO

À CE RYTHME, ILS VONT RASER LA VILLE !
VOUS VOULEZ JOUER À ÇA, HEIN, OROCHI DE MALHEUR !
ヴヴヴヴヴヴ
WOOOOOOO

C'EST MAGNIFIQUE !
CETTE VILLE VA ÊTRE RAYÉE DE LA CARTE !
SANS JERA, LAMIA SCALE EST PERDUE !
SLURP SLURP
SLURP

ON VA RÉDUIRE LEUR MAGIE AU MAXIMUM !
SLURP
ENSUITE, ON LES ACHÈVERA D'UN COUP !

TUEZ-LES TOUS !
BROOOOOOM

ILS ONT UN DRESSEUR DE MONSTRES AVEC EUX...
DONC, SI ON LE BAT...

AVEC TOUS CES MONSTRES, ON NE POURRA PAS L'ATTEINDRE...

ET EN VOLANT ?
MOI, JE VOLE !

OUI !

TU VEUX NOUS AIDER ?
OUAIS !

JE M'ENFLAMME !
ON Y VA, HAPPY !
OUAIP !

DÉSOLÉE, NATSU !
PLAF
CHERRYA !
OMPF !

NE T'ARRÊTE SURTOUT PAS, HAPPY !
HEIN ? EUH... OUAIS...

HEIN ?

ON VA SAUVER LAMIA SCALE !
D'ACCORD !

ELLE A ENLEVÉ HAPPY !

CHAPITRE 422 : OROCHI'S FIN

ÎL Y A VACHEMENT DE MONSTRES...
ET ÎLS VONT TOUS VERS LA VÎLLE...

FAÎSONS CONFÎANCE À LEON ET AUX AUTRES POUR LA DÉFENDRE...
SANS OUBLÎER NATSU ET LUCY...

ON VA S'OCCU-PER DES MEMBRES D'OROCHÎ'S FÎN...
ET DU DRESSEUR DE MONSTRES !

JE TE DEMANDE PARDON, HAPPY...
ÇA VA, TU ES LÉGÈRE...
PLUS QUE LUCY...

JE NE PARLE PAS DE ÇA...
MAIS JE VOULAIS À TOUT PRIX PROTÉGER LA VILLE MOI-MÊME...

CHERRYA...

LÀ-BAS ! LES VOILÀ !

!
C'EST QUOI ?
FSHOUUUU
AAAA !!
SHA

LES CELESTIAL SISTERS
!
PLAAAAF

FSHÂAAAA
WOUAH !
AARGH !
HURLE-MENT...
RUGIS-SEMENT...

AAAAH !
DU DRAGON CÉLESTE !
BRAOOOOM
DU DIEU CÉLESTE !

ON VA PAS SE LAISSER FAIRE PAR DEUX GAMINES !
BEN NON...
TAP
ELLES NE SONT PAS TOUTES SEULES !
!
PLAAAAAF
WHITE MOON !
OUATCH !

!

ÎL EST TEMPS DE MONTRER LES RÉSULTATS DE MON EN-TRAÎNEMENT...
VA TE CACHER !
MMMMH

JE M'OCCUPE DU DRESSEUR !

CHERRYA ! TU T'AVANCES TROP !
C'EST MOI QUI VAIS ARRÊTER L'ARMÉE DES MONSTRES !
YAAAAAH
YAAAAAH
...
CETTE ODEUR...

MAR-GUERITE.
BROOOOOOM

BROOOOOM
LES MONSTRES SONT EN VILLE !
ILS SONT SUPER NOMBREUX !
OUAIS !
ON VA DÉFENDRE CE SECTEUR !
D'ACCORD !

RAAAAAH AAAA-AAAA-AAH !
SALE VOLEUSE D'HAPPY !

TU M'ÉCHAP-PERAS PAS !
NATSU !
TAP
TAP
TAP
TAP

DÉGAGEZ DE MON CHEMIN !
PLAAAAM

PLAM
PLAM
PLAM
PLAM
PLAM

PLAM
PLAM

YAAAAH
YAAAH

LA VACHE...
IL EST PIRE QUE TOUS LES MONSTRES !

BROOOOOM
RESTEZ SUR VOS GARDES ! ILS ARRIVENT !
C'EST PARTI !
TSI ING
OUVRE-TOI ! PORTE DU PALAIS DU LION !

LOKI !
BWOM
ME VOILÀ, LE CHEVALIER SERVANT DE LUCY !
ET MAIN-TENANT...
ROBE STELLAIRE !

LEO FORM !
OOH !
C'EST LA MAGIE D'ERZA !
C'EST SPLENDIDE, LUCY ! ♡
CE N'EST PAS TOUT À FAIT PAREIL, MAIS ÇA ME PERMET D'AVOIR UN PEU DU POUVOIR DES ESPRITS EN MOI...
C'EST SPLENDIDE !
TAIS-TOI !
WOOO
OOM
EN GROS, ÇA VEUT DIRE QUE JE PEUX COMBATTRE, MOI AUSSI !
EN ROBE ?
ELLE MÉRITE D'ÊTRE MA FEMME !
TSAP

YAH !
BAOM
TCHAC
TCHAC
RAAAAAH !
ÇA FAIT PLAISIR À ENTENDRE !
CLIIIING
ROUL
ROUL
ROUL
ROUL
TOURNICOTE !
YAAAAAH...
REGULUS IMPACT !
PLAAAM

REGULUS LUCY KICK !
UN COUP DE PIED ?!
OUI, MAIS UN COUP DE PIED DE LA LUMIÈRE !
PLAAAAM

LE DRES-SEUR...
!
LÀ ! C'EST LUI !

ATTENTION, CHERRYA !
FSHOUUUU
TSAP
WENDY...

JE DOIS INTERVENIR ?
NON... ELLES N'EN VALENT PAS LA PEINE...

!
ÇA VA ?
DÉSO-LÉE...

J'AI DÉJÀ VU CETTE PETITE...
TAP
?!

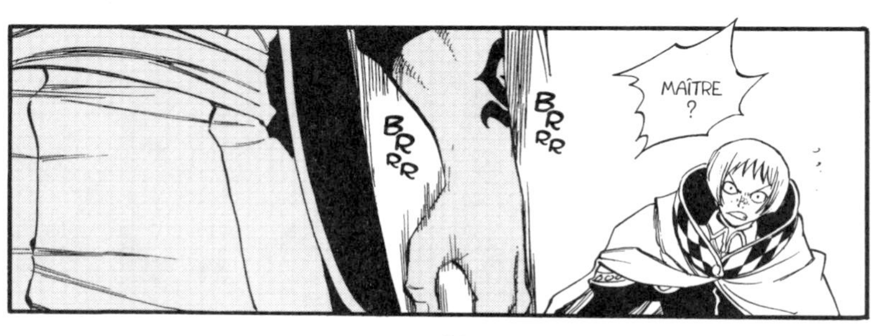
BRRR
BRRR
MAÎTRE ?

BROM
VOYONS SI ELLES PEUVENT VOLER...

BRAOOOM

AAAAAH !
LE SOL...
C'EST QUOI, CE DÉLIRE ?
AAAAH !
AAAH !

BLUENOTE STINGER !
AH !
FSHAM
JE NE PEUX PLUS...
BOUGER !
PERSONNE NE PEUT BOUGER SOUS L'INFLUENCE DE MA GRAVITÉ !
MAÎTRE ! VOUS EN FAITES TROP !

QU'EST-CE QU'IL FAIT LÀ, LUI ?

D'ABORD...
AAAH !
CHER-RYA !

JE T'AI RETROUVÉE !
!
NATSU !
NA-TSU !
LUI...
IL BOUGE MALGRÉ LA GRA-VITÉ...

CHAPITRE 423 : PARCE QUE JE T'AIME

COMMENT T'AS PU ME VOLER HAPPY ?
JE SUIS DÉSOLÉE...

NATSU ! C'EST PAS LE MOMENT POUR ÇA !

IL Y A CE TYPE, LÀ ! CELUI QUI NOUS A TORTURÉS SUR TENRÔ !

BLUE-NOTE !

HEIN ?

...

JE ME SOUVIENS PAS...
C'EST PAS VRAI ?!

JE ME SOUVIENS DE LUI...

JE VAIS TE DÉMOLIR...
WOOOO
OOOOOOOW
DE QUOI TU PARLES ?
AAAH !
CE N'ÉTAIT QU'UN MINABLE !

MAIS...

COMMENT CE MOINS QUE RIEN A PU APPARAÎTRE AINSI DEVANT MOI ?!
BWOOOM

AAH !
PLAF

PAM
ARGH !

EUH... MAÎTRE...
WOOOOOM
AAAH !

WOOOOOM
QUE... QUELLE PUISSANCE !

MÊME MOI, JE PEUX PAS FAIRE UN PAS...

CE TYPE EST DANGEREUX !
MAÎTRE !
TAP

JE VAIS TE DÉMOLIR !
!
BWAOOOOOM
FSHOUUU

C'EST CE QU'ON VA VOIR !
BRAOOOM

IL A SOULEVÉ LE SOL...
AVEC SES FLAMMES !
C'EST IMPOSSIBLE !
FAIRY TAIL EST INDESTRUCTIBLE !
FAIRY TAIL ?!
C'EST ÇA !
IL EST DE FAIRY TAIL !

TU NE NOUS DÉMOLIRAS PAS !
CE GAMIN...
PEUT-IL...
VO...

BRAOOOOM

BRAOOOM

PLAF

MES VÊTEMENTS ONT BRÛLÉ !
ÉCOUTE-MOI BIEN, LA VOLEUSE...
NATSU ! REGARDE AUTOUR DE TOI AU LIEU DE LUI FAIRE LA MORALE !

IL EST DEVENU AUSSI FORT QUE ÇA EN SEULEMENT UN AN ?

IL L'A EU D'UN SEUL COUP...

HEIN ?
IL RESTE ENCORE DES ENNE...

SLURP
ON SE REND...

TOUS LES MONSTRES SEMBLENT BIEN ÊTRE PARTIS...
MERCI DE VOTRE AIDE !
OUAIS !
TANT MIEUX...
BAH... C'EST NORMAL...

J'AI PAS ASSEZ COGNÉ...
C'EST SUFFISANT, NATSU...

OÙ SONT WENDY ET CHERRYA ?
ENCORE TROIS ANS ET JE POURRAI...
ELLES ONT DIT QU'ELLES DEVAIENT DISCUTER TOUTES LES DEUX...

ÇA N'A PAS MARCHÉ...
QUOI DONC ?

JE VOULAIS TE PROUVER QUE JE POUVAIS ME DÉBROUILLER TOUTE SEULE...
...

MAIS NATSU A TOUT FICHU PAR TERRE...
IL EST COMME ÇA...

WENDY, TU DOIS PARTIR AVEC LUI...
HEIN ?

TU L'AIMES, PAS VRAI ?
HEIN ?! MAIS NON... JE...

JE NE CROIS PAS QUE CE SOIT ÇA... IL M'INSPIRE... COMME UN GRAND FRÈRE...

ÇA AUSSI, C'EST DE L'AMOUR...

SI TU N'Y VAS PAS, TU LE REGRET-TERAS...

NATSU L'A DIT...
FAIRY TAIL EST INDESTRUCTIBLE !

C'EST PARCE QU'IL T'AIME...
ET QU'IL AIME FAIRY TAIL QU'IL EST VENU JUSQU'ICI...

JE...
NE TE COMPLIQUE PAS LA VIE, WENDY...

ON RESTE AMIES MÊME SI ON N'EST PLUS DANS LA MÊME GUILDE !
CHERRYA...

ON EST AMIES !
OUI !

MERCI POUR TOUT CE QUE VOUS AVEZ FAIT POUR MOI PENDANT TOUT CE TEMPS...
PRENDS SOIN DE TOI, WENDY !
JE VOUS DOIS AU MOINS UN MERCI, MOI AUSSI...
CARLA...

JE NE SAIS VRAIMENT PAS QUOI DIRE...
JE SUIS TELLEMENT ÉGOÏSTE...

SNIF
SNIF

DE TOUTE FAÇON, C'EST CE QUI ÉTAIT CONVENU DÈS LORS QUE TU NOUS AS REJOINTS...
...
C'EST VRAI ?

ILS DEVAIENT S'OCCUPER DE NOUS JUSQU'AU RETOUR DE FAIRY TAIL...
CARLAAAA !
T'EN VA PAS !

MAIS...
ALLEZ... ÇA SUFFIT...

WENDY ET CARLA...
N'AVAIENT PAS OUBLIÉ FAIRY TAIL, TOUT COMPTE FAIT...

T'ES UNE PLEURNICHARDE, WENDY !
MAIS...
BOUHOU...

JE REPRENDRAI TA PLACE DANS LES CELESTIAL SISTERS !
ÉVITE, S'IL TE PLAÎT.
C'EST À MOI DE LE FAIRE !
OUBLIE ÇA AUSSI, LA VIEILLE !

BON COURAGE POUR LE REDÉMARRAGE DE FAIRY TAIL !
OUAIS !
BONJOUR À GREY !
EN FAIT, ON NE SAIT PAS DU TOUT OÙ IL EST...
SOYEZ PRUDENTS !
OUAIS !

PRENDS SOIN DE TOI, WENDY !

PROMIS ! TOI AUSSI, CHERRYA !

TAP

TU PEUX PLEURER, MAINTENANT...
MMH...

JE NE PLEURERAI PAS !
PARCE QUE, MOI AUSSI, JE VEUX QUE FAIRY TAIL SE REFORME !

SNIF
SNIF
SNIF
SNIF

ET PUIS, J'AI PU VOUS RETROUVER, NATSU ET TOI...
OUIIIIIN !
C'EST DES LARMES DE TRISTESSE ET DE JOIE EN MÊME TEMPS ?!

MAIS EUH... QUAND FAIRY TAIL A ÉTÉ DISSOUTE...
TOUS CEUX DE LAMIA SCALE ONT ÉTÉ ADORABLES...
TU VAS PLEURER ENCORE LONGTEMPS, WENDY ?

C'EST ENCORE QUE LE DÉBUT !
ON VA RETROUVER TOUS LES AUTRES !

EH BIEN...
DITES, OÙ ON VA MAINTENANT ?
D'ACCORD !

EN ALLANT VERS L'EST, IL Y A LE VILLAGE DE LA PLUIE.
DE LA PLUIE ?

IL PARAÎT QU'IL PLEUT TOUT LE TEMPS, LÀ-BAS...
SI ÇA SE TROUVE...

CHAPITRE 424 : AVATAR

FSHAAA
FSHAAA
FSHAAA
FSHAAA
FSHAAA
LE VILLAGE DE LA PLUIE.

IL NE PLEUT VRAIMENT QUE SUR LE VILLAGE.
C'EST BIZARRE...

ICI, IL PLEUT...
PLATCH PLATCH

ET LÀ, IL FAIT BEAU...

ICI, IL PLEUT...
HA HA HA ! T'AS ENCORE BEAUCOUP À APPRENDRE, HAPPY !
DE NOS JOURS, C'EST MOITIÉ-MOITIÉ !
OH, JE VOIS ! MOITIÉ-MOITIÉ !
HAHAHAHAHAHAHA
ÇA VOUS AMUSE TELLEMENT ?
HHAAAAAA
FSHAAAAAAA

IL N'Y A VRAIMENT PERSONNE...
ON DIRAIT QUE LE VILLAGE EST DÉSERT...
C'EST PAS LE CAS, JE SENS L'ODEUR DE JUBIA.
PAR ICI !

!

FSHAAAAAAAA
HÉ ! JUBIA !

DÉSOLÉ POUR L'ATTENTE !
M. GREY !
JE SUIS VENU TE CHERCHER !
M. GREY ! ♡ JUBIA EST... JUBIA EST...

PLAF
!
ON SE CALME !

HÉ ! T'AS LA FORME !
T'ES TOUJOURS FIDÈLE À TOI-MÊME, ÇA ME RASSURE !
ÇA FAISAIT LONGTEMPS, JUBIA !

NATSU...
LUCY, WENDY...
ON EST LÀ, NOUS AUSSI !
T'HABITES ICI TOUTE SEULE ?

HÉ ! QU'EST-CE QUE T'AS ?
JUBIA !
TSAP

ELLE A BEAUCOUP DE FIÈVRE...
AVEC TOUTE CETTE PLUIE, RIEN D'ÉTONNANT QU'ELLE TOMBE MALADE...

C'EST CHEZ ELLE, ICI ?
HUM...

IL Y A UN PEU L'ODEUR DE GREY...
GREY AUSSI EST ICI ?

JUBIA A HABITÉ ICI...
HAN...
HAN...
HAN...
AVEC M. GREY.

HEIN ?

TOUS LES DEUX ! ♡
T'AS L'AIR SUPER FIÈRE !

ON MANGEAIT ENSEMBLE...

ON S'ENTRAÎNAIT ENSEMBLE...

ON PARTAIT EN MISSION ENSEMBLE...

ET QUAND ON SE COUCHAIT...
!
ON VEUT PAS LE SAVOIR...

IL ÉJECTAIT JUBIA À COUPS DE PIED LORS-QU'ELLE ESSAYAIT DE DORMIR AVEC LUI...
...
...

C'ÉTAIT LE BONHEUR !
HAN...
HAN...

MAIS UN JOUR...

M. GREY A ENCORE LAISSÉ TRAÎNER SES VÊTEMENTS !
PFOU !

VOTRE CORPS...
QU'EST-CE QUI VOUS ARRIVE ?

T'IN-QUIÈTE PAS...

ALLEZ, ON VA MANGER...

À PARTIR DE CE JOUR, IL S'EST SOUVENT ABSENTÉ...

ET ÇA VA
FAIRE SIX MOIS
QU'IL N'EST PAS
RENTRÉ...

OH NON...

IL S'EST BARRÉ SANS RIEN DIRE, CET ABRUTI !
C'EST TOI QUI DIS ÇA ?
J'AI LAISSÉ UN TESTAMENT, MOI...
ON DIT "UN MESSAGE D'ADIEU", NATSU !

MAIS T'ES AUSSI PARTI EN LAISSANT DES GENS DERRIÈRE TOI ! ET CEUX QUE TU AS LAISSÉS...

...
CEUX QUE TU AS LAISSÉS...

ARRÊTEZ DE FLIRTER, S'IL VOUS PLAÎT !
ON FLIRTE PAS !
DU COUP, ELLE NE SAIT PAS OÙ EST GREY...
SI ELLE LE SAVAIT, ELLE NE SERAIT PAS LÀ...

JUBIA L'A CHERCHÉ PENDANT DES JOURS...

MAIS ELLE N'A PAS RETROUVÉ M. GREY...

ALORS, ELLE L'A ATTENDU...

C'EST LA MAISON OÙ JUBIA ET M. GREY...
ONT AMASSÉ PLEIN DE SOUVENIRS !
IL REVIENDRA SÛREMENT UN JOUR !

SNIF
DÉSOLÉE DE ME MONTRER COMME ÇA ALORS QU'ON NE S'ÉTAIT PAS VUS DEPUIS LONGTEMPS...

JE FERAI EN SORTE DE LE RETROUVER !

NON... JE VAIS LE RETROUVER À COUP SÛR !

ON VA RASSEMBLER TOUS NOS POTES !
ET REFORMER FAIRY TAIL !

JUBIA S'EST ENDORMIE...
T'AS DIT QUE TU ALLAIS LE RETROUVER, T'AS UNE PISTE ?
MÊME DANS MES NOTES, JE N'AI RIEN SUR LUI...

QU'EST-CE
QU'IL Y A,
NATSU ? TA
TÊTE FAIT
PEUR...

IL ME SEMBLE
QU'ILS SONT
DANS LE
COIN...
?

ON VA
VOIR SABER
TOOTH...
HEIN
?!

ORACION SEIS...
GRIMOIRE HEART...
ET TARTAROS...
LA DESTRUCTION DE L'ALLIANCE DE BARAM A MARQUÉ LA FIN DES GUILDES CLANDESTINES...

MAIS L'ÈRE D'AVATAR, LA SECTE DE LA MAGIE NOIRE, NE FAIT QUE COMMENCER !
PFOU

NOTRE CROYANCE...
PFOU
C'EST LE MONDE DE ZELEPH, LE MAGE NOIR !
ARLOCK, LE PRÊTRE, AVATAR.

L'HEURE EST VENUE...
NOUS ÉLIMINERONS LES MAGES OPPOSÉS À ZELEPH !
TOUT POUR ZELEPH !
TOUT POUR ZELEPH !
TOUT POUR ZELEPH !
HI HI...

TOUT POUR ZELEPH !
GREY FULLBUSTER,
AVATAR.

FAIRY TAIL

CHAPITRE 425 : SABER TOOTH X792

FSHAAAAAAAAAAAAAA

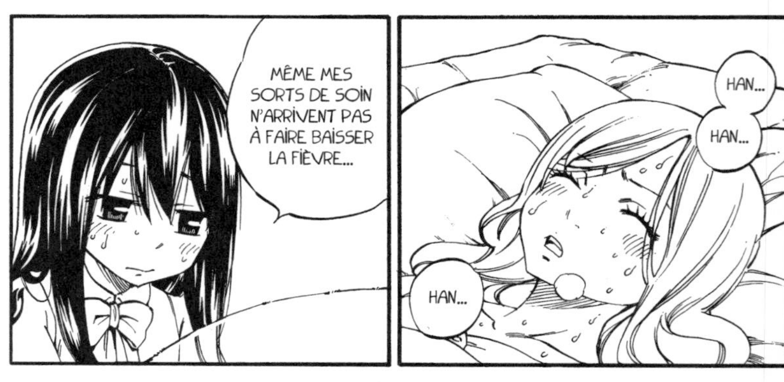
HAN...
HAN...
HAN...
MÊME MES SORTS DE SOIN N'ARRIVENT PAS À FAIRE BAISSER LA FIÈVRE...

JE M'OCCUPE D'ELLE, NATSU...
NATSU ET LES AUTRES DOIVENT ÊTRE ARRIVÉS CHEZ SABER TOOTH...

ALORS, RAMÈNE GREY AU PLUS VITE !

!

ON Y EST !

TAP TAP TAP TAP

ELLE EST GIGANTESQUE !
NATSU, ILS ONT VRAIMENT DES INFOS SUR GREY ?

TAP
TAP
?!
JE PEUX PAS LE DIRE...
TAP
TAP
COMMENT ÇA ?

FSAP
?
!
ÉCOUTE, LUCY !
POF
TAP
TAP
TAP
TAP

QU'EST-CE QUE TU FABRIQUES ?! REGARDE DEVANT !
J'AI CONFIANCE EN GREY !
TAP
TAP
TAP
TAP

MAIS SUR CE COUP-LÀ, SI J'AI CONFIANCE EN LUI, J'AURAI PAS D'INFOS !

LUCY...
ÇA VEUT RIEN DIRE !
JE VAIS ARRÊTER DE LUI FAIRE CONFIANCE, MAIS SI JE LE RETROUVE, JE CROIRAI EN LUI À NOUVEAU...
JE COMPRENDS RIEN À CE QUE TU RACONTES ! REGARDE DEVANT !
TAP TAP TAP TAP TAP TAP
JE VAIS RAMENER GREY CHEZ NOUS...
JE TE LE PROMETS !
EN ATTENDANT, NE ME POSE PLUS DE QUESTIONS !

OUARGH !
CRAC
REGARDE DEVANT, ABRUTI !
SABER TOOTH.
NATSU ! LUCY ! HAPPY !
YUKINO !

ÇA FAISAIT LONGTEMPS ! VOUS ALLEZ BIEN ?
OUI, MERCI À VOUS...

TOUTES VOS MISSIONS ONT ATTERRI CHEZ NOUS !
JE ME SOUVIENS QUE, GRÂCE À VOUS, NOUS SOMMES RICHES !

EUH... CE N'EST PAS CE QUE JE VOULAIS DIRE...
JE SAIS BIEN !
ET PUIS, FAIRY TAIL RENAÎT DE SES CENDRES !
C'EST VRAI ?!

JE... J'AI TELLEMENT HÂTE !
CE N'EST PAS LA PEINE DE PLEURER...

ÇA FAISAIT LONGTEMPS QUE J'AVAIS PAS ENTENDU CETTE VOIX...
!
C'EST BIEN VRAI, OUAIS !

BL OUP
HÉ ! MAIS C'EST NATSU ET LUCY !
ET HAPPY EST AVEC EUX !

C'EST QUI ?
SALUT, STING !
QUOI ?!
T'AS PAS CHANGÉ, NATSU !
TOI NON PLUS !
IL A VACHEMENT CHANGÉ, TU VEUX DIRE !

AH ? CARLA N'EST PAS AVEC TOI ?
ET TOI, T'ES PAS AVEC FROSH ?
FROSH EST EN MISSION AVEC ROG ET MADE-MOISELLE...

OÙ ILS SONT PARTIS ?
!
POUIC

QU'EST-CE QUE TU FAIS À LECTER ?
AH !
BLOUP BLOUP
NATSU...

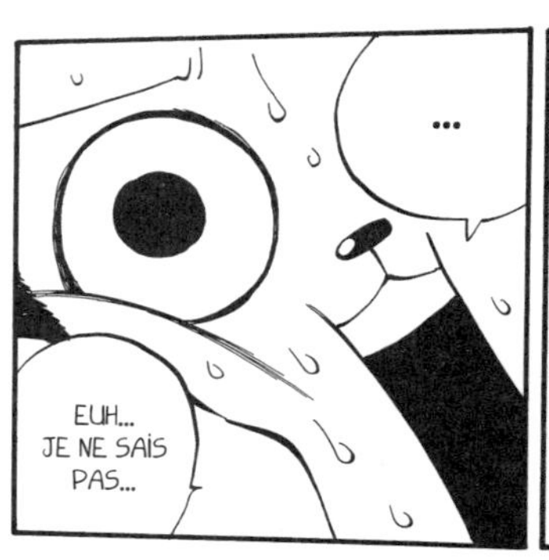
...
EUH... JE NE SAIS PAS...

MAIS ILS VIENNENT JUSTE DE PARTIR, ILS SONT PEUT-ÊTRE ENCORE À LA SORTIE DE LA VILLE !
SÉRIEUX ?

MERCI, LECTER !
NATSU, ATTENDS !
ATTENDS !

QU'EST-CE QU'IL VOULAIT ?
J'EN SAIS RIEN...
T'ES REDEVENU COMME AVANT ?!
J'AI FAIT APPEL AU POUVOIR DE LIBRA...
HÉ HÉ !
TAP TAP TAP TAP TAP TAP
RO-OO-OO-OG !
!

NATSU...

AH !
...
TAP TAP
TAP TAP
VIENS ! FAUT QU'ON PARLE !
HEIN ?! QU'EST-CE QUI TE PREND ?!

ATTENDS !
NATSU !
VOUS...

VOUS, RESTEZ TOUS OÙ VOUS ÊTES ! ON DOIT DISCUTER, TOUS LES DEUX !

MOI AUSSI, JE VEUX PARLER !
HOP
HOP

?

ÇA FAISAIT LONGTEMPS...
OUI... C'EST CHOUETTE QUE TU SOIS REVENUE À LA GUILDE !

VOUS ÊTES ALLÉS À LA GUILDE ?
ON EN VIENT...

QU'EST-CE QUI EST ARRIVÉ À STING ?

TIGER
L'AUTRE JOUR, ON A ORGANISÉ LE TIGER TIGER TIGER, LE TRADITIONNEL CONCOURS DU PLUS GROS MANGEUR DE SABER TOOTH...
GNAAAAAC
J'EN PEUX PLUS...
MRONTCH
MRONTCH
JE VOIS... IL S'EST DONNÉ À FOND...
MAIS C'EST MOI QUI AI GAGNÉ... ♡

C'EST POUR ÇA QUE VOUS N'AVEZ PAS PARTICIPÉ AU GRAND TOURNOI DE LA MAGIE ?
NOTRE MAÎTRE A ESTIMÉ QU'UN TOURNOI SANS FAIRY TAIL NE VALAIT PAS LA PEINE...
JE SUIS D'ACCORD !

EUH... AU FAIT, JE SUIS DÉSOLÉE POUR CE QUE JE T'AI FAIT AU TOURNOI DE L'AN DERNIER...
HEIN ?
TLING
TSAAC

T'EN FAIS PAS POUR ÇA. C'ÉTAIT UN COMBAT ENTRE GUILDES.
MAIS J'Y SUIS QUAND MÊME ALLÉE TROP FORT.
NE T'EN FAIS VRAIMENT PAS POUR ÇA...

C'EST DOMMAGE QUE FAIRY TAIL AIT ÉTÉ DISSOUTE...
C'ÉTAIT VRAIMENT UNE BONNE GUILDE...

HÉ HÉ !

ELLE N'A PAS ENCORE DISPARU...
ELLE EST TOUJOURS PRÉSENTE DANS NOS CŒURS.

JE SUIS D'ACCORD !
MOI AUSSI !

À QUOI TU JOUES ? TU RÉAPPARAIS D'UN SEUL COUP ET LÀ...
MONTRE-MOI L'AVIS POUR LA MISSION !

HEIN ?!
ALLEZ ! MONTRE-LE-MOI !

DÉTRUISEZ AVATAR !

C'EST ÇA...

JE PRENDS LE BOULOT !
HEIN ?!
C'EST À NOUS... EN PLUS, T'APPARTIENS À AUCUNE GUILDE !
JE SUIS À FAIRY TAIL !

ÉCOUTE, ROG...
JE M'OCCUPE DE CETTE MISSION, EN ÉCHANGE, JE TE DONNERAI LA RÉCOMPENSE !
...
ALORS, PROMETS-MOI...

QUE, FROSH ET TOI, VOUS NE QUITTEREZ LA VILLE SOUS AUCUN PRÉTEXTE...
JUSQU'À MON RETOUR !

C'EST N'IMPORTE QUOI...
LUCY ! HAPPY ! ON Y VA !
HEIN ? QU'EST-CE QUI SE PASSE ?
?!
?

MINERVA ! SURVEILLE BIEN ROG ET FROSH !
?!
LES LAISSE PAS QUITTER LA VILLE !

ÇA SE PASSERA DANS UN AN...

QU'EST-CE QUE ÇA VEUT DIRE ?!
JE N'EN SAIS RIEN...
MOI NON PLUS...

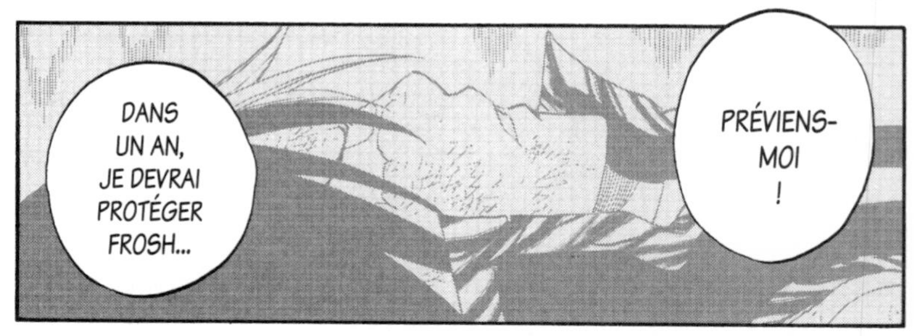
PRÉVIENS-MOI !
DANS UN AN, JE DEVRAI PROTÉGER FROSH...

OU BIEN IL SE FERA TUER PAR GREY !
GREY...
EST INDISPEN-SABLE POUR FAIRY TAIL !

CHAPITRE 426 : UN CŒUR NOIR

C'EST QUOI, CET AVATAR OÙ DEVAIT ALLER ROG ?
ALORS LÀ...

C'EST UN GROUPE DE FIDÈLES DE ZELEPH QUI EST MONTÉ EN PUISSANCE DEPUIS QUE LES GUILDES CLANDESTINES ONT PERDU LEUR INFLUENCE.

ZELEPH ?

JE NE SAIS PAS S'IL EST IMPLIQUÉ DIRECTEMENT LÀ-DEDANS...
MAIS DISONS QUE C'EST UN GROUPE QUI LE VÉNÈRE COMME UN DIEU...

DES HOMMES DE ZELEPH ?!
JE M'EN-FLAMME !

MAIS AU FAIT, POURQUOI TU CROIS QUE GREY SE TROUVE LÀ OÙ ROG PARTAIT EN MISSION ?
JE COMPRENDS PAS, MOI NON PLUS...
HUM...
MMH...
C'EST RARE QU'IL RÉFLÉCHISSE AUTANT...
TU NE PEUX PAS LE DIRE, C'EST ÇA ?

SI... JE VAIS VOUS EXPLIQUER...
C'EST LE ROG VENU DU FUTUR QUI ME L'A DIT...

LE ROG DU FUTUR ?!

UN AN APRÈS LE TOURNOI... DONC MAIN-TENANT...
IL PARAÎT QU'IL A COMBATTU GREY...
IL L'A COMBATTU ?

DU COUP, JE ME SUIS DIT QUE LA MISSION DE ROG NOUS CONDUIRAIT À GREY...
MAIS... MAIS LE FUTUR D'OÙ VENAIT CE ROG A DÛ CHANGER ENTRE-TEMPS, NON ? DONC, LA PROBABILITÉ QUE ÇA SE REPRODUISE EST MINCE...

JE SUIS PAS SÛR DE MON COUP, MAIS C'EST LA SEULE PISTE QU'ON AIT...
QUAND MÊME, COMBATTRE GREY...
JUBIA NOUS A DIT...
QU'IL AVAIT DES MOTIFS NOIRS SUR LE CORPS...

IL LES AVAIT AUSSI QUAND IL S'EST BATTU CONTRE MALD GHEEL...

IL A APPRIS LA MAGIE DES TUEURS DE DÉMONS À TOUTE VITESSE...
ET JE ME DEMANDE S'IL EST POSSÉDÉ PAR UN DÉMON...
OH NON...

POURQUOI IL NE M'A RIEN DIT JUSQUE-LÀ ?

UN COMBAT ENTRE GREY ET ROG... NATSU EN CONNAÎT SÛREMENT L'ISSUE...
ALORS...

TSAP

T'INQUIÈTE PAS...
QUOI QU'IL ARRIVE, GREY EST L'UN DES NÔTRES !

oui...
OUAIS !

AVATAR.

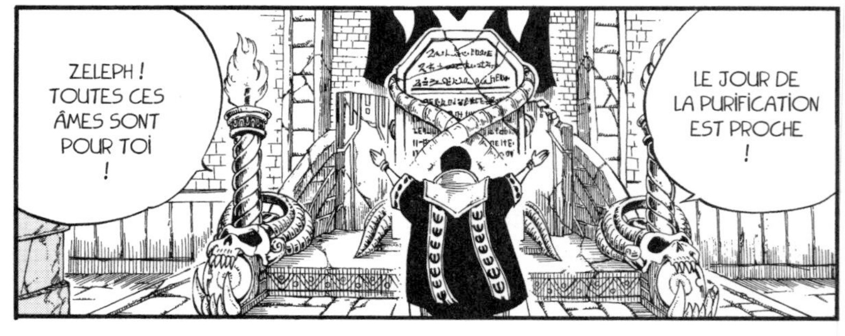
LE JOUR DE LA PURIFICATION EST PROCHE !
ZELEPH ! TOUTES CES ÂMES SONT POUR TOI !

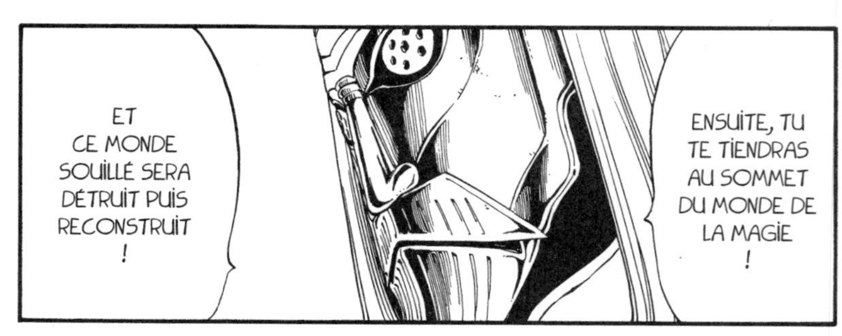
ENSUITE, TU TE TIENDRAS AU SOMMET DU MONDE DE LA MAGIE !
ET CE MONDE SOUILLÉ SERA DÉTRUIT PUIS RECONSTRUIT !

FSHOUUU
PRÊTRE ! VOUS VOULEZ METTRE LA PURIFICATION À EXÉCUTION ?
TAP
TAP
IL EST POSSIBLE QUE LE CONSEIL SE DOUTE DE NOS PLANS...
JEROME, AVATAR.

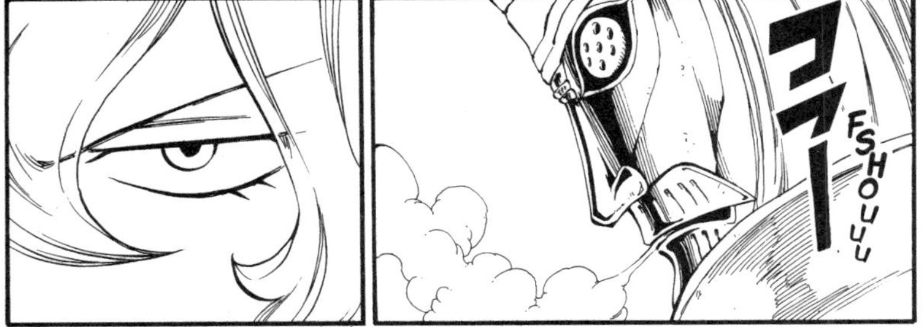
FSHOUUU

CE QU'IL VEUT DIRE C'EST QU'IL FAUT ÉLIMINER CEUX QUI NE SONT PAS D'ACCORD...
LE CHEVELU...
LE CHEVELU ?
BRAIYA, AVATAR.

FSHOUUU !!
...
QUI EST CHEVELU ?

JE SUIS EN PLEINE PRIÈRE !
SORTEZ !

HI HI
GRAND-PÈRE PEUT ÊTRE TÊTU, PARFOIS !
HI HI
CE SERAIT BIEN S'IL POUVAIT MOURIR BIENTÔT !
HI HI !
MARY, AVATAR.
LA FERME, LA VIPÈRE !
T'ES MÉCHANTE, BRAIYA ! TOI, TU DONNES TOUJOURS DES SURNOMS BIZARRES AUX AUTRES !
EN PLUS, ILS SONT DÉSESPÉRÉMENT DE MAUVAIS GOÛT !
BEUH BEUH

SI LE CONSEIL EST AU COURANT DE NOTRE PLAN DE PURIFICATION...
ÇA VA ÊTRE POT-BLÉMATIQUE...
TU VEUX DIRE "PROBLÉMATIQUE" ? ELLE N'ÉTAIT PAS ÉVIDENTE, CELLE-LÀ !
HI HI !
抹茶
GÔMON, AVATAR

DE QUEL CÔTÉ PENCHERA LA BALANCE DU DESTIN ?
D-6, AVATAR.
TANT QU'ON S'AMUSE, C'EST LE PRINCIPAL !
ABEL, AVATAR.

LE PROBLÈME N'EST PAS LE CONSEIL...
MAIS LE MOYEN PAR LEQUEL IL A EU VENT DE NOTRE PLAN !

IL Y A
UNE TAUPE DU
CONSEIL PARMI
NOUS...
ET TU
PENSES QUE
C'EST MOI...

抹茶
...
C'EST VRAI QUE
TU VIENS DE LA
MEILLEURE GUILDE
(RIRES) DU PAYS
!
LA
GLACE...

J'AI FAIT DES
RECHERCHES
SUR TOI...
GREY
FULLBUSTER...

TA FAMILLE A ÉTÉ TUÉE PAR LES DÉMONS DES LIVRES DE ZELEPH...
ET CE N'EST PAS TOUT, LA MORT DE TON MAÎTRE AINSI QUE CELLE DE SA FILLE EST AUSSI LIÉE À ZELEPH...

C'EST VRAI QUE C'EST LUI, LE PLUS SUSPECT... MAIS C'EST UN PEU TARD, TU NE CROIS PAS ?
ÇA VA FAIRE SIX MOIS QU'IL EST DES NÔTRES...
TU N'AS AUCUNE RAISON DE CROIRE EN ZELEPH !

TU N'AS PAS ASSEZ CHERCHÉ, JEROME, "L'ÉPÉE DES TÉNÈBRES"...
ULTIA, LA FILLE D'UL, N'EST PAS MORTE...

JE NE COMPRENDS PAS POURQUOI TU ES LÀ...
LAISSE TOMBER, LE CHEVELU...
C'EST BON, BRAIYA, PUISQUE L'OCCASION SE PRÉSENTE, JE VAIS METTRE LES CHOSES AU CLAIR...
CE QUE JE VEUX, C'EST LE LIVRE D'E.N.D !
C'EST POUR ÇA QUE JE SUIS LÀ !

JE VEUX...

METTRE LA MAIN SUR CE BOUQUIN...
JE ME FOUS DU RESTE !

IL EST SOMBRE ...
J'AI OUBLIÉ MA GUILDE ET MON PASSÉ...
JE NE VIS QUE POUR CE BOUQUIN... NON...

QUE POUR DÉTRUIRE E.N.D. !
POUR Y ARRIVER, JE SUIS PRÊT À VOUS UTILISER, VOUS OU N'IMPORTE QUOI D'AUTRE !

L'ESPRIT DE VENGEANCE A NOIRCI SON CORPS ET SON CŒUR...

EN ATTENDANT, JE VEUX BIEN SERVIR VOTRE CAUSE !

TAP
TAP

UN TYPE À LA MAGIE SI SOMBRE NE PEUT PAS ÊTRE UNE TAUPE DU CONSEIL !
MÊME SI JE TROUVE ÇA CLASSE !
HUM...

VA SAVOIR...

BRAIYA, J'AI BIEN RÉFLÉCHI...
?

LE CHEVELU, ÇA ME VA BIEN...
!

REGARDEZ ! ON Y EST !

C'EST VIEUX... ON DIRAIT UNE ÉGLISE ABANDONNÉE...

QU'EST-CE QU'ON FAIT, NATSU ?

ON FONCE DANS LE TAS, ÉVIDEMMENT !

TAP
TAP
TAP
TAP
COMMANDANT !

NOUS ARRIVERONS SOUS PEU À LA FORÊT DES OMBRES, OÙ SE TROUVE LE SIÈGE D'AVATAR.
TAP TAP TAP TAP
OH !
MAIS... JE NE SAIS PAS COMMENT VOUS LE DIRE...
D'APRÈS NOTRE INFORMATEUR, GREY FULLBUSTER SERAIT UN MEMBRE DE LA SECTE...
GREY ?
HIN HIN...

JE M'EN TAPE ! ON LES ARRÊTE TOUS !
C'EST NOTRE RÔLE À NOUS, LES FORCES D'INTERVENTION DU CONSEIL !
GAJIL REDFOX, CONSEIL.

CHAPITRE 427 : COMBAT EN SOUS-SOL

ON FONCE !
OUAIS !

ATTENDEZ UN PEU !
TSAC
PLAF
ARGH !
OUTCH !

QU'EST-CE QUI TE PREND, LUCY ?
CETTE FOIS-CI, ON NE SAIT PAS VRAIMENT À QUI ON A AFFAIRE...
ENTRER PAR LA GRANDE PORTE N'EST PAS LA MEILLEURE IDÉE...

MAIS GREY EST PEUT-ÊTRE LÀ !
RAISON DE PLUS POUR ÊTRE PRUDENTS... ON VA DÉJÀ COLLECTER DES INFOS...
JE VOIS...
ON VA UTILISER LE POUVOIR DE VIRGO POUR CREUSER UN TUNNEL JUSQUE DANS L'ÉGLISE...
OO-OH !

VIRGO, S'IL TE PLAÎT !
OUVRE-TOI ! PORTE DE LA VIERGE !

VIR...
PLOP

GO ?

QU'EST-CE QUI SE PASSE ? ÇA VA ?
QUI T'A FAIT ÇA ?

NE VOUS INQUIÉTEZ PAS POUR MOI...

QU'EST-CE QUI T'A PRIS ?!
JE M'ENNUYAIS ALORS JE ME SUIS PUNIE MOI-MÊME... ♡
CELA FAISAIT LONGTEMPS, M. NATSU ! M. HAPPY !
OUAIS !
VOUS ME SURPRENDREZ TOUJOURS, VOUS, LES ESPRITS...
ROBE STELLAIRE ! VIRGO FORM !
FSHAAAAAA
ELLE S'EST CHANGÉE !
ÇA ME RAPPELLE UNE CERTAINE PERSONNE EFFRAYANTE QUI PORTE DES ARMURES !
MAINTENANT, ELLE PEUT UTILISER UNE PARTIE DE MES POUVOIRS ET DU COUP, LES SIENS SONT PLUS PUISSANTS...
ON Y VA, VIRGO !
À VOS ORDRES, PRINCESSE !

PLOP

ON DOIT ÊTRE DANS LES SOUS-SOLS...
L'INFILTRATION EST RÉUSSIE !
POUSSE VITE TES FESSES DE LÀ !
NATSU ! ON A VU LA CULOTTE DE LUCY !
ON DOIT RÉCUPÉRER DES INFOS SUR GREY SANS SE FAIRE REPÉRER...

GREYYYYYY ! SI T'ES LÀ, MONTRE-TOI !
!

!
AAAAAAAAH !
!
ÇA VIENT DE L'ÉGLISE ?
UN INTRUS ?
C'EST AMUSANT !

AAAAAAAAAH
...
NATSU ?

POURQUOI TU HURLES COMME ÇA ?! NOTRE INFILTRATION NE SERT PLUS À RIEN !
OMPF
...

PRINCESSE... CELA MÉRITE UNE PUNITION !

IL Y A CETTE CHOSE, SERVEZ-VOUS-EN SUR MOI !
TAIS-TOI !

IL EST LÀ...
!

JE SENS L'ODEUR DE GREY...
IL EST ICI...

GREY EST ICI ?

ALORS, ON N'A PLUS BESOIN DE SE CACHER !

!
HÉ ! QU'EST-CE QUE VOUS FAITES DANS NOTRE REPAIRE ?!

ÇA VOUS AMUSE ? ÇA VOUS AMUSE, ÇA ?
FSAP
FSAP
FSAP
FSAP

CETTE POUPÉE !
MALÉDICTION
UN ADVERSAIRE ?!

C'EST LA POUPÉE !
TAM
MALÉDICTION
TSAP
OMPF !
PLAAAAF
AAAH !
TU PEUX ALLER FRAPPER TON COPAIN !
ZOOOOZ
FSHRAAAAA

OH ! VOUS CONNAISSEZ MA POUPÉE ? C'EST AMUSANT !

C'EST QUELQU'UN D'IMPORTANT CHEZ GRIMOIRE HEART QUI ME L'A DONNÉE !
TAP

RIEN
DE PLUS
AMUSANT...
QUE
LA MAGIE
NOIRE
!
MALÉDICTION

BRR... J'AI
DES MAUVAIS
SOUVENIRS...
BRRRRRRR
FAITES
ATTENTION !
IL EST PLUS
PUISSANT QU'IL
N'EN A L'AIR
!

!

PLAAAAM

HEIN ?
AH...
AH...
DÉSOLÉ, MAIS Y A QUE GREY QUI M'INTÉRESSE !

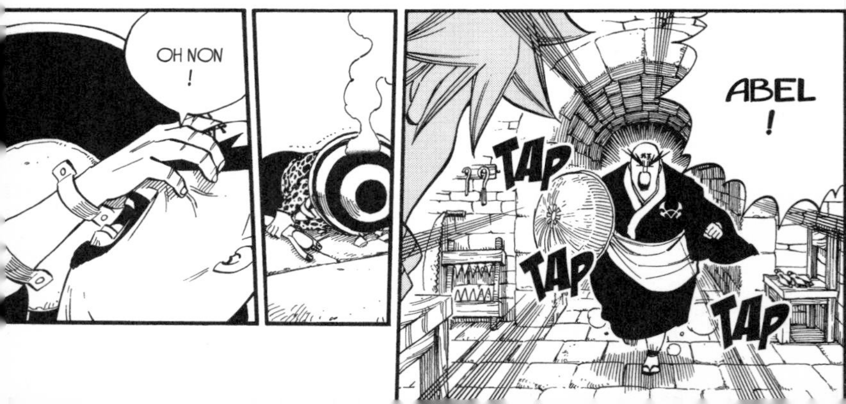
ABEL !
TAP
TAP
TAP
OH NON !

INTRUS ! QU'AVEZ-VOUS FAIT À ABEL ?!
EN PÉNÉTRANT DANS MA SALLE D'ENTRAÎNEMENT, VOUS N'AVEZ PAS EU DE CHANCE !
VOUS ALLEZ GOÛTER À CHACUN DE MES CHÂTIMENTS !

YATATA TATATA !
TSAP
OUPS !
HOP !
HOP !
FSHOU
TAP

...
C'EST PAS LE MOMENT D'ÊTRE TOUT ÉMOUSTILLÉE !
PAPOM PAPOM
PAPOM PAPOM

DRAGON TRIANGULAIRE !
FSHAAAAAAA

EN QUOI C'EST UN DRAGON, CETTE HORREUR ?
PLAF
HÉ HÉ !
FSHOU
FSHOU
C'EST CE QUE J'AI VOULU FAIRE CROIRE !
FSHOU
FSHOU
!

EN FAIT, C'EST UNE VIERGE DE FER !
PLOP

NATSU !
GNI...
ÇA DOIT FAIRE MAL, CE MACHIN...

VIERGE DE FER
CLAAAAC

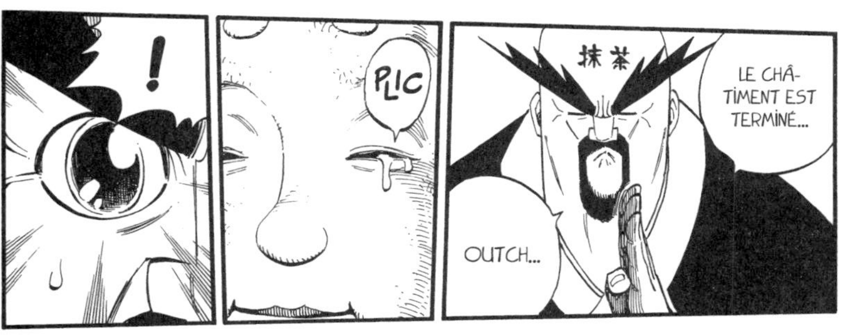
LE CHÂTIMENT EST TERMINÉ...
OUTCH...
抹茶
PLIC
!

PSHOUUUUJ
LE FER...
FOND...

ATCHA !
BAOOOOOM
PFF
PLAAAAM
WJIIII
ET DE DEUX !

ET DE TROIS !
PLAAAAAM

IL EST FORT...
ÇA, C'EST NATSU !

C'EST IMPOSSIBLE... NOUS SOMMES DES MAGES NOIRS DE HAUT RANG...
ET CE GAMIN NOUS A...

C'EST PAS UN ADVERSAIRE POUR VOUS !
TAP
TAP

TAP

IL EST À MOI !
SALUT !
ÇA VA ?

CHAPITRE 428 :
SI NOS CHEMINS SE SÉPARENT...

FSHAAAAAAA

JUBIA... JE VAIS T'ESSUYER...

ILS SONT GROS !
BLOP

JE ME DEMANDE SI LES AUTRES ONT RETROUVÉ GREY...

MMH...
CE SERAIT BIEN...

ET CE SERAIT BIEN QU'ILS NE SE DISPUTENT PAS...

ÇA FINIT TOUJOURS COMME ÇA...
HAN...
HAN...
ENTRE NATSU ET GREY...

C'EST VRAI...

PLAM

TSAAAAAM

ARRÊTEZ, TOUS LES DEUX !
QU'EST-CE QUE VOUS FAITES ICI ?
TAP
ET TOI, QU'EST-CE QUE TU FOUS LÀ ?
PLAF
FSHOUUUU
JE FAIS CE QUE JE VEUX !
NON ! JUBIA T'ATTEND !
BOOOOM

!
FSHAAAAAAA
ET MOI AUSSI, JE T'AT-TENDS !

ON A BESOIN DE TOI...
POUR REFORMER FAIRY TAIL !

RIDICULE !
PLAAAAAM

FAIRY TAIL N'EXISTE PLUS !
CLIIIING
ÇA, C'EST SEULEMENT EN APPARENCE !
FSHOUUUUU
NOS SOUVENIRS...
ET NOS LIENS D'AMITIÉ, EUX, SONT TOUJOURS LÀ !

FAIRY TAIL EST TOUJOURS LÀ !
POM
MAINTENANT ET À JAMAIS !

ET ALORS ? C'EST AUSSI BIEN COMME ÇA, NON ?

SI ELLE EST LÀ OÙ TU LE DIS, LAISSE-MOI EN DEHORS DE ÇA.
MOI, JE SUIS MA PROPRE VOIE...
GREY...

FAIRY TAIL N'EST PLUS EN MOI...
ARRÊTE DE TE PRÉTENDRE MON AMI !

PLAF

ON "PRÉTEND" ÊTRE TES AMIS ?!
ON EST TOUJOURS TES AMIS !

ON NE VEUT PAS ENTENDRE CE GENRE DE CHOSES...
ON A...

ALORS, NE DIS PAS DES TRUCS PAREILS !

TSAC
AH...
!
AAH...

MON... MON VENTRE... QU'EST-CE QUE... ?
THI
AH...
TSAP
LUCY !
C'EST TOI, MARY ?
QUI SONT CES GENS ?
CE SONT DE VIEUX AMIS À TOI ?
HI HI
ILS ÉTAIENT DANS CETTE GUILDE DISPARUE ?

!
FSHOUUUU
QU'EST-CE QUE T'AS FAIT À LUCY ?!
TSING
AAAH !
OUTCH !
CE SONT DES CHAÎNES EMPRISONNANT LA MAGIE !
TSING
PLAF
NATSU !
OUATCH !
PLAAAAF

HI HI HI HI !
LA POUPÉE !
GNNNNN

TSAC
PFOU... VOUS NOUS AVEZ SAUVÉS, Mlle MARY !
RAH !

QUELQU'UN D'AUSSI FAIBLE N'A PAS VOIX AU CHAPITRE...
ÇA SUFFIT...

AAAAAH !

TU AS MAL ? MA MAGIE NOIRE EST DOULOUREUSE, N'EST-CE PAS ?

GREY !
TAP
OUTCH !

POURTANT SA MAGIE EST EMPRISONNÉE !
TAP
ÎL EST SACRÉMENT FORT !
TSAC

PAS UN GESTE !

!
...
J'AI MAL...
PRIN-CESSE !
AR-RÊ-TE !
FLAP FLAP
PLAF PLAF

TOUT ÇA, C'EST PARCE QUE TU T'ES MÊLÉ DE CE QUI NE TE REGARDE PAS...
NATSU...

RÉVEILLE-TOI, GREY !
T'ES POSSÉDÉ PAR UN DÉMON !
JE SUIS PARFAITEMENT CONSCIENT !

J'AI VOLONTAIREMENT EFFACÉ LA MARQUE DE MA FAMILLE...
POUR AVOIR DES RÉPONSES !
PLAF

IL A EFFACÉ LA MARQUE DE LA GUILDE !
GREY...

GAJIL, ON A DE LA VISITE...
J'AI ENTENDU...
CETTE ODEUR...
DÉSOLÉE POUR L'ATTENTE !
REBY MACGARDEN, CONSEIL.

BEAU TRAVAIL, Mme REBY !
BRAVO POUR VOTRE INFILTRATION !
C'EST PRATIQUE D'ÊTRE PETITE !
JE SUIS DÉSOLÉE DE VOUS AVOIR FAIT ATTENDRE !

M'INTRODUIRE DANS L'ÉGLISE EN ME MÊLANT AUX FIDÈLES A ÉTÉ FACILE...
MAIS EN SORTIR A ÉTÉ PLUS DUR.

ET SINON, TU AS EU L'INFO SUR GREY, GAJIL ?
OUI...

QU'EST-CE QU'IL LUI EST ARRIVÉ ? ON DIRAIT QU'IL EST CONTRÔLÉ PAR LES TÉNÈBRES...

ON S'EN FOUT, NOTRE MISSION, C'EST D'EMPÊCHER LEUR PROJET DE PURIFICATION !

TU DIS ÇA, MAIS GREY ÉTAIT TON AMI !

CE N'EST PLUS LE CAS !

SI LA PURIFICATION A LIEU, DES TAS D'INNOCENTS VONT MOURIR.
COMMENT UN TYPE QUI PARTICIPE À ÇA POURRAIT ÊTRE MON AMI ?

TU POURRAIS COMBATTRE UN ANCIEN AMI ?
ON NE SUIT PLUS LA MÊME VOIE, CE N'EST DONC QU'UN ENNEMI...

ON VA EMPÊCHER...
CETTE PURIFI-CATION !

FAIRY TAIL

LUCY, TON VENTRE VA MIEUX ?
OUI, ÇA VA...

ET VIRGO ?
CLING
SA PORTE EST BLOQUÉE À CAUSE DES CHAÎNES...

SALETÉ DE GREY...
QU'EST-CE QU'IL LUI A PRIS ?

CHAPITRE 429 : CODE BLUE

FAIRY TAIL

GREY EST CLAIREMENT POSSÉDÉ PAR QUELQUE CHOSE OU MANIPULÉ PAR QUELQU'UN !
OUAIS ! IL FERAIT JAMAIS UNE CHOSE PAREILLE !

TAP TAP
QUELQU'UN VIENT !
!
MMH

FSHOU
IL Y A PERSONNE ET IL S'INCLINE QUAND MÊME !
ÇA FAIT PEUR !

OÙ EST GREY ?!
AMÈNE-LE !
PLAAAAM
LE SEIGNEUR GREY, COMME TOUS LES AUTRES, N'EST PAS ICI.

IL EST PARTI POUR METTRE EN ŒUVRE NOTRE PROJET DE PURIFICATION...
MOI, JE SUIS VENU VOUS TORTURER POUR SAVOIR QUI VOUS ENVOIE.

UN PROJET DE PURIFICATION ?
LA PURIFICATION DES ÂMES...
ELLE ENTRAÎNE UNE MORT SANS SOUILLURE...
CES QUELQUES MORTS PERMETTRONT ENFIN À ZELEPH DE VENIR À NOUS.

N'ENTRAÎNEZ PAS GREY DANS DES TRUCS LOUCHES !
HUM...
抹茶
VOUS AVEZ DONC COMPRIS...
?!

JE ME SUIS DÉGUISÉ EN ZELEPH...
抹茶
COMMENT JE LE SAURAIS ?
HEIN ?
POUR MONTRER MON AMOUR POUR ZELEPH, JE ME SUIS FAIT TATOUER EN LANGUE ORIENTALE.
抹茶

JE NE CONNAIS PAS BIEN CES CARACTÈRES, MAIS IL PARAÎT QU'ILS SE LISENT "ZELEPH"...
抹茶
EN FAIT, ÇA SE LIT "MATCHA"*...
!

* LE "MATCHA" EST LE THÉ QU'ON UTILISE, ENTRE AUTRES, POUR LA TRADITIONNELLE CÉRÉMONIE DU THÉ AU JAPON. IL EST AUSSI UTILISÉ EN PÂTISSERIE.

SILENCE, JEUNE FILLE !
TSAC
AAAH !
LUCY !
IL PEUT MANIPULER LES APPAREILS DE TORTURE !

AAH !
TCHAC

HUM...
LIBÈRE-LA !

AAAAH
!
PLAF
AAAH
!
GN!!
C'EST DE LÀ QUE VOUS ASSISTEREZ...
AU SPECTACLE DE TORTURE DE GÔMON
!

AH...
TSING
TSING

LUCY
!
TSING
PLAF
PLAF
PLAF
J'ARRIVE PAS À ME LIBÉRER
!

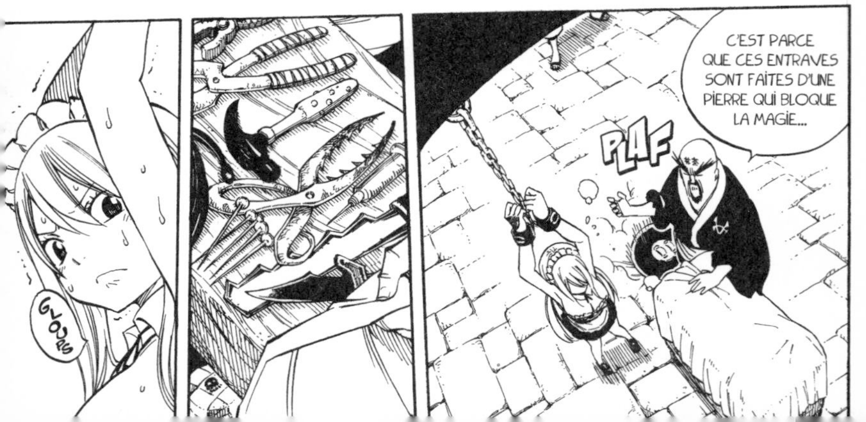
C'EST PARCE QUE CES ENTRAVES SONT FAITES D'UNE PIERRE QUI BLOQUE LA MAGIE...
PLAF
GLOUPS

IL Y A LE FOUET...
CLAC

LA BOUGIE...
BLOUP

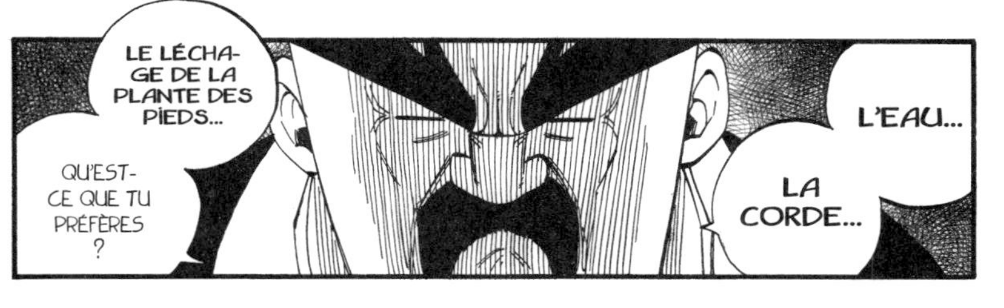
L'EAU...
LA CORDE...
LE LÉCHAGE DE LA PLANTE DES PIEDS...
QU'EST-CE QUE TU PRÉFÈRES ?

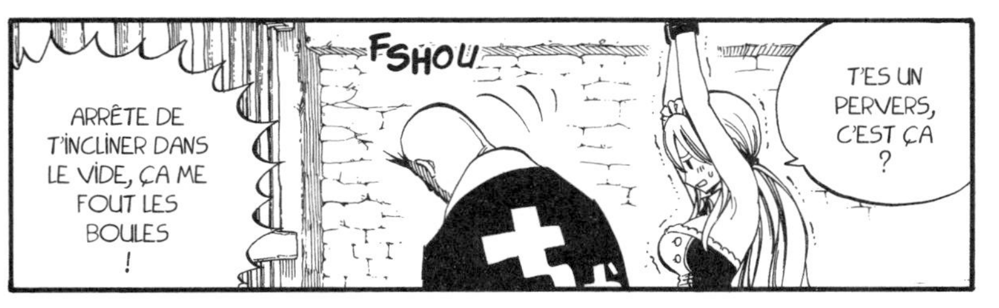
T'ES UN PERVERS, C'EST ÇA ?
FSHOU
ARRÊTE DE T'INCLINER DANS LE VIDE, ÇA ME FOUT LES BOULES !

CHOISIS LE LÉCHAGE DES PIEDS ! C'EST CE QUI DOIT FAIRE LE MOINS MAL !
SÛREMENT PAS !
RIEN QUE LE BRUIT...
ON DIRAIT BIEN QUE VOUS NE CONNAISSEZ RIEN EN MATIÈRE DE TORTURE...
eau salée
Salt Water

ON ATTACHE LES PIEDS, ON VERSE DE L'EAU SALÉE DESSUS ET ON LÂCHE UNE CHÈVRE...
AU BOUT D'UN MOMENT, LA LANGUE RUGUEUSE DE LA CHÈVRE DÉCHIRE LA PEAU ET ARRACHE LA CHAIR...
QUI COMMENCE À LÉCHER LES PIEDS POUR RÉCUPÉRER LE SEL...
MAIS LA CHÈVRE CONTINUE DE LÉCHER LES PIEDS ÉTERNELLEMENT...

...
ÇA A L'AIR PLUS DOULOUREUX QUE CE QUE JE PENSAIS...
EUH...
SI ON ESSAYAIT, POUR VOIR ?
TSAP
NOO-OOO-ON !

GNIII
GNIII
SALETÉ !

TSAC
DITES-MOI VITE QUI VOUS ENVOIE...

AVANT QUE CETTE FILLE N'AIT PLUS DE PIED...
TAP
MMMH !
MMMH !

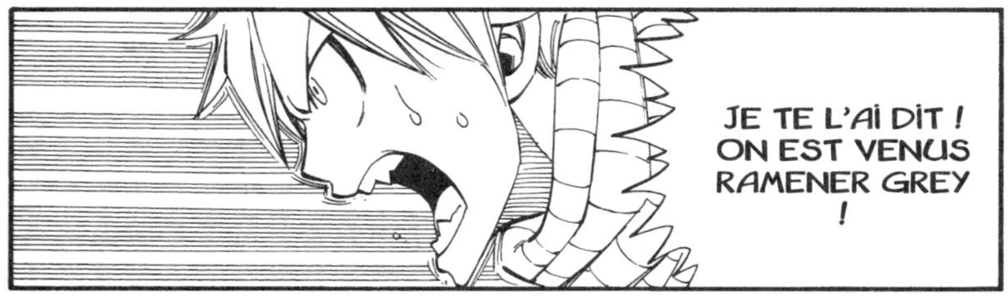
JE TE L'AI DIT ! ON EST VENUS RAMENER GREY !

COMBIEN DE FOIS FAUDRA-T-IL TE LE DIRE ?
LE SEIGNEUR GREY EST AVEC NOUS !
MMMH !
MÊÊÊÊÊ
MMMH !
C'EST NOTRE POTE !
GNNN

MÊME S'IL A PAS CONFIANCE EN LUI-MÊME...
NOUS, ON CROIT EN LUI !

抹茶
LA FERME !
CLING
!
!
LUCY !
GNN
GNN
GNN
QU'EST-CE QUE TU FAIS ?!
MMMH !
CLONG

LAISSONS TOMBER LE LÉCHAGE DE PIEDS !
FSHOU
JE VAIS LA COUPER EN DEUX !

ARRÊTE ÇA !
GNGNGN
GNGN

CROIREZ-VOUS ENCORE AU SEIGNEUR GREY, APRÈS ÇA ?
!

CLIIIING

GREY...
!
FSHOUUU
CLIIIING
!
CLIIIING
RAAA-
AAH...
BON SANG !
FROUTCH
FROUTCH
FROUTCH
VOUS AVEZ TOUT FOUTU EN L'AIR !
TSAP
?
TSS
TALK
BIP
CLIC
CODE RED
SE

ICI,
CODE BLUE...
ON A UN
PROBLÈME...

NON...
C'EST PAS ÇA...

OUAIS ...
TSSS

LA MARQUE SUR SON CORPS...

J'EN SAIS RIEN ! DEMANDE-LE-LUI DIRECTEMENT !
...
OUAIS...

?

METS-LE À TON OREILLE !

C'EST QUOI ?

C'EST TOI, NATSU ?

!

ALORS, COMME ÇA...
BIP
TU AS FICHU L'INFILTRATION DE GREY EN L'AIR ?
À SUIVRE

POSTFACE

Génial ! On en est au tome 50 ! Bravo ! Bravo !

Le jour où je disais vouloir terminer cette série en une dizaine de tomes semble appartenir à un lointain passé ! 50 tomes !

Je tiens déjà à remercier tous les lecteurs ! Vraiment, merci pour votre soutien infaillible ! C'est clairement grâce à vous que j'ai pu arriver à ce tome 50 ! Merci infiniment de lire cette série !

Ensuite, je suis reconnaissant envers mon éditeur ! Il a accepté mon choix de ne pas faire de pause dans la publication et, tout comme moi, il s'est battu sans arrêt !

Je lui suis reconnaissant des conseils qu'il me donne quand je bloque sur un story-board, de ses encouragements dans mes moments de découragement !

Enfin, merci infiniment à mes assistants qui ne se plaignent jamais malgré le boulot incroyable ! Vous ne vous chargez pas que des arrière-plans et des finitions, vous aimez *Fairy Tail* et me donnez plein d'idées.

Je remercie aussi ma famille, mes amis, ceux qui travaillent sur les anime, les jeux vidéo et les produits dérivés ! Un grand merci à tous !

On m'a dit qu'avec ce tome 50, j'avais atteint les 9 487 pages publiées en volumes reliés. Donc, il me reste encore trois tomes pour dépasser les 10 000 pages !

Je vais continuer à me donner à fond !
Je compte sur vous pour continuer à me soutenir !

Titre original :
FAIRY TAIL, vol. 50

First published in Japan in 2015
by Kodansha Ltd., Tokyo.
Publication rights for this French edition
arranged through Kodansha Ltd., Tokyo.

Traduction et adaptation : Vincent Zouzoulkovsky
Création d'illustrations : Claire Bréhinier

Édition française
2016 Pika Édition
ISBN : 978-2-8116-2728-7
ISSN : 2100-2932
Dépôt légal : mars 2016
Achevé d'imprimer en Italie
par Grafica Veneta en janvier 2018

Pika Édition s'engage pour l'environnement en réduisant l'empreinte carbone de ses livres. Rendez-vous sur www.pika-durable.fr